habitantes del mar del 1 al

10

ediciones
iamiqué

mariela kogan e ileana lotersztain

¿Qué es ediciones iamiqué?

ediciones iamiqué es una pequeña empresa argentina manejada por una física y una bióloga empecinadas en demostrar que la ciencia no muerde y que puede ser disfrutada por todo el mundo. Fue fundada en 2000 en un desván de la Ciudad de Buenos Aires, junto a la caja de herramientas y al ropero de la abuela.

ediciones iamiqué no tiene gerentes ni telefonistas, no cuenta con departamento de marketing ni cotiza en bolsa. Sin embargo, tiene algo que debería valer mucho más que todo eso: unas ganas locas de hacer los libros de información más innovadores, más interesantes y más creativos del mundo.

Texto: Mariela Kogan e Ileana Lotersztain
Corrección: Patricio Fontana
Investigación gráfica: Blanca Strepponi
Edición: Ileana Lotersztain
Diseño y diagramación: Javier Basile
Primera edición: marzo de 2014
Tirada: 3000 ejemplares
I.S.B.N.: 978-987-1217-55-7
Queda hecho el depósito que establece la ley 11.723
Impreso en Argentina. Printed in Argentina
© ediciones iamiqué, 2014

info@iamique.com.ar
www.iamique.com.ar
facebook: ediciones.iamique
twitter: _@iamique_

Kogan, Mariela
    Habitantes del mar del 1 al 10 / Mariela Kogan y Ileana Lotersztain. - 1a ed. - Ciudad Autónoma de Buenos Aires : Iamiqué, 2014.
    24 p. ; 21x21 cm. - (Ciencia para contar)

    ISBN 978-987-1217-55-7

    1. Ciencias para Niños. I. Ileana Lotersztain. II. Título.
    CDD 500.54

Los números están en todas partes:
en los días que faltan para que empiecen
las vacaciones, en la distancia que te separa
de la casa de tu mejor amiga, en las monedas
que tienes que juntar para comprar un
chocolate, en las velas que vas a soplar
en tu próximo cumpleaños, en los bocados
que faltan para que termines tu cena...
Y también están escondidos entre los
habitantes del mar. **¿Quieres descubrirlos?**

Si quieres indagar en el espacio digital,
ingresa al blog o **captura el código QR**
que encontrarás junto a cada animal. ¡Anímate!

  www.iamiquedel1al10.blogspot.com

señuelo luminoso tiene el pez rape

El pez rape vive en las profundidades del mar, adonde prácticamente **no llega la luz del sol**. Como muchos de los habitantes del fondo marino, es una criatura muy particular. La hembra tiene sobre su cabeza una espina en forma de "caña de pescar" que termina en una pequeña bolsa repleta de bacterias que producen luz. Pero no la usa para iluminar su camino: el brillo y el movimiento de este señuelo **atrae las presas** (otros peces más pequeños o hasta ¡de su mismo tamaño!). Una vez que los tiene a tiro, la rape los engulle con su gran boca llena de dientes afilados.

El macho, en cambio, es bien diferente.
No tiene señuelo, es mucho más
pequeño y vive al amparo de la hembra,
como un parásito pegado a su piel.

¿Y dónde está el lenguado?

www   iamiquedel1al10
.blogspot.com

2 ojos tiene el lenguado

ubicados del mismo lado del cuerpo.

Algunas semanas después de salir del huevo, la larva de lenguado sufre un cambio muy particular: su boca se tuerce y su ojo derecho se mueve hacia el otro lado del cráneo. A partir de ese momento, el lenguado empieza a vivir **apoyado sobre el fondo del mar**. Y sus colores comienzan a cambiar: la parte que está apoyada se vuelve blanca y la que queda hacia arriba (y que está a la vista) toma un color parecido al del fondo marino. Así **se oculta y confunde** a sus cazadores y a sus presas. ¡Qué buena estrategia!

dedos unidos por una membrana tiene el pingüino

Al igual que la mayoría de las aves, el pingüino tiene cuatro dedos en cada una de sus patas. Pero uno de ellos, el pulgar, está tan reducido que apenas toca el suelo con la punta de la uña. Los otros tres, que están unidos por una membrana, forman una especie de "pata de rana" como las que usan los buzos, que **le permite propulsarse con más fuerza** en el agua.

Y no sólo eso: el pingüino también usa sus alas como aletas, para nadar y bucear. Por eso, aunque no puede volar y parece un poco torpe cuando camina en tierra, **es un gran nadador**. ¡Como si volara en el agua!

¡Campeones en natación!

www iamiquedel1al10.blogspot.com

 **aletas tiene el caballito de mar**

una dorsal, dos pectorales y una anal.

El caballito de mar nada de una forma muy curiosa: **se desplaza erguido**, batiendo como abanico la aleta dorsal. Nada muy lentamente, pero es ágil para desplazarse por el fondo marino, donde usa su cola prensil para sujetarse de las plantas acuáticas.

Otra característica muy curiosa del caballito de mar es que **es el macho el que incuba los huevos**. La hembra los deposita dentro de una bolsa especial que el macho tiene en el vientre y allí, bajo los cuidados paternos, las crías se desarrollan y crecen hasta que están listas para nacer.

5 brazos tiene la estrella de mar

que pueden volver a crecer si son arrancados.

Las almejas son una de las presas favoritas de la estrella de mar. ¿Y cómo se las ingenia la estrella para comerlas, si las almejas están protegidas por un duro caparazón de dos valvas que se cierran fuertemente?

Primero, la estrella se sube sobre la almeja y **la aprisiona con sus cinco brazos**, que en la base tienen pequeños "pies" terminados en ventosas. Con esas ventosas, hace fuerza hasta abrir un poco el caparazón. Cuando lo logra, la estrella **saca su propio estómago** por la boca, lo introduce por el espacio entre las dos valvas y digiere las partes blandas de la almeja. ¡Qué modales, estrella!

¡Bon appétit!

6 segmentos forman el abdomen del cangrejo ermitaño

A diferencia de la mayoría de los cangrejos, el ermitaño **no tiene una cubierta rígida** que resguarde su blando abdomen. Pero aunque no trae armadura de fábrica, muy pronto se consigue una: **se mete adentro de un caparazón de caracol que esté vacío**. Pero no se quedará allí para siempre. Cuando crezca necesitará mudarse e iniciará la búsqueda de una nueva concha de caracol a su medida. Y así una y otra vez.

Sin embargo, encontrar un nuevo caparazón no siempre es tarea fácil: a veces el cangrejo tiene que luchar con otro ermitaño para quedarse con uno.

¡Hora de mudarse!

www iamiquedel1al10
.blogspot.com

¡Cuánto esfuerzo!

 iamiquedel1al10
.blogspot.com

quillas tiene el caparazón de la **tortuga laúd**

La tortuga laúd **es la más grande** de todas las tortugas marinas: puede medir más de dos metros y pesar cientos de kilos.

Ese no es su único récord: también **puede nadar en aguas mucho más frías** que las demás tortugas, porque posee una gruesa capa de grasa y un mecanismo especial de circulación de la sangre que le permite mantenerse más caliente que el agua que la rodea.

Tristemente, la tortuga laúd **está en peligro de extinción**, ya que muchas son heridas o capturadas accidentalmente por barcos pesqueros y otras se asfixian con bolsas de plástico que flotan en el mar y que ellas confunden con medusas, su alimento preferido.

8

brazos tiene el

pulpo imitador

¡Un Oscar para
este gran actor!

 iamiquedel1al10
.blogspot.com

Además de cambiar de color, como el resto de los pulpos, el gran pulpo imitador **puede mover por separado cada uno de sus ocho brazos**. De este modo simula ser una raya, una anguila, una serpiente marina… y pasa inadvertido frente a los predadores que buscan comerse un rico pulpo.

Como si estas habilidades fueran pocas, también **puede quedarse completamente inmóvil** en el fondo del mar, y hacerse pasar por muerto.

¡Un aplauso para el pulpo imitador!

metros, ¡y más también! mide el calamar gigante

A pesar de su gran tamaño, el calamar gigante **es muy difícil de encontrar.** Por eso, durante muchísimos años, se pensó que este curioso animal era producto de la imaginación de los marineros y de los escritores de ciencia ficción.

Este escurridizo habitante del fondo del mar tiene ocho larguísimos brazos y dos tentáculos aún más largos, equipados con ventosas, que usa para capturar y sujetar sus presas.

¿Y cómo escapa él de su principal perseguidor, el cachalote? Cuando el cachalote nada, mueve una gran cantidad de agua. Esa oleada es detectada por unos organismos microscópicos que reaccionan emitiendo luz. Gracias a sus ojos del tamaño de una pelota de básquet, el calamar gigante **puede detectar esa luz a una distancia de hasta 120 metros** y así tiene tiempo suficiente para alejarse.

10

hendiduras branquiales tiene la mantarraya

por donde captura oxígeno del agua para respirar.

¡Qué coreografía!

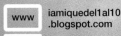
www   iamiquedel1al10
.blogspot.com

La mantarraya **es la más grande** de todas las rayas. Sin embargo, a pesar de su gran tamaño, es inofensiva para el hombre, porque es la única que no tiene un aguijón venenoso en la cola.

De los costados de su cabeza se prolongan dos aletas que puede batir hacia delante y hacia dentro, con las que empuja hacia su boca el plancton y los pequeños peces de los que se alimenta.

Con sus aletas pectorales, que mueve como si fueran alas, la mantarraya **parece volar bajo el agua**. ¡Y también puede dar saltos y volteretas fuera del agua!

¿Quiénes escribieron este libro?

Mariela nació en Buenos Aires en 1974. Es Doctora en Ciencias Biológicas y vive cerca del mar, donde reparte el tiempo entre la biología y su otra gran pasión: la literatura infantil. Escribe y cuenta cuentos, y brinda talleres de narración para bibliotecarios, docentes y abuelos.

Ileana nació en Buenos Aires en 1972. Es bióloga, escribió muchos libros para niños y es una de las directoras de esta colección. Le encanta pasar sus vacaciones cerca del mar y siempre vuelve cargada con caracoles y conchillas que recolecta en la playa.

¿Quiénes tomaron las fotografías?

Pez rape: Peter David | Natural Visions

Lenguado: Asbjorn Hansen | Licencia Creative Commons

Pingüinos: Scott Nolan | Licencia Creative Commons

Caballito de mar: Wolf4max | Licencia Creative Commons

Estrella de mar: faria! | Licencia Creative Commons

Cangrejo ermitaño: Tim Keppens | Licencia Creative Commons

Tortuga laúd: Rustin Crandall | Licencia Creative Commons

Pulpo imitador (modificada digitalmente): Klaus Stiefel | Licencia Creative Commons

Calamar gigante: Rick Starr | NOAA/CBNMS - Licencia Creative Commons

Mantarraya: Jens Viggo Moesmand | Wikicommons - Licencia Creative Commons

¿Quiénes lo imprimieron?

Este libro se imprimió y encuadernó en marzo de 2014 en Grancharoff Impresores, Tapalqué 5868, Ciudad de Buenos Aires, Argentina. **www.grancharoff.com**